Борис Деревянко
Boris Derevianko

Одесский ТЕАТР оперы и балета

The Odessa Opera and Ballet House

Фотоочерк
Photographic Essay

Издание 2-е, с изменениями

ОДЕССА «МАЯК»
ODESSA «MAYAK»
1990

ББК 85.451
Д36

В фотоочерке рассказывается об Одесском театре оперы и балета — его уникальной архитектуре, истории развития и творческих достижениях коллектива.

Рецензент *Г. А. Поливанова*, народная артистка УССР, заведующая кафедрой Одесской государственной консерватории им. А. В. Неждановой

Редактор *Ф. С. Лебедева*

Д $\frac{4907000000 - 039}{М217(04) - 90}$ 59.90

ISBN 5-7760-0219-2

Одесский ТЕАТР оперы и балета

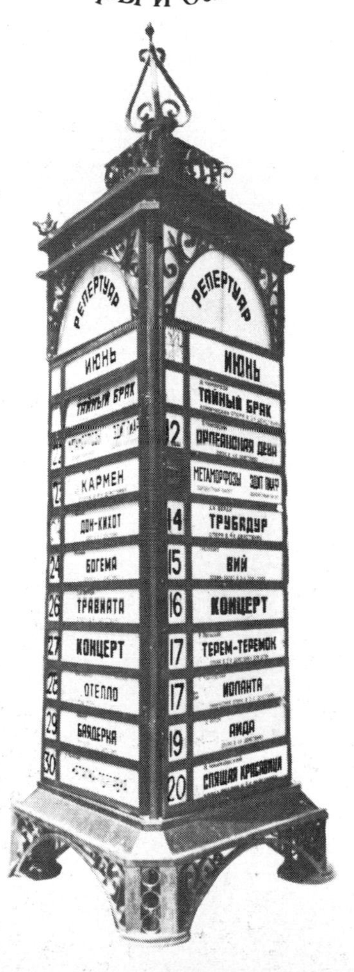

Одесса, город у Черного моря,— всегда многолюдна, шумна, гостеприимна. С большой притягательной силой влечет людей не только море, но и ее многочисленные достопримечательности, памятные места. Потемкинская лестница, Приморский бульвар, пушкинский дом, оперный театр... Их назовет в городе каждый. Порядок перечисления может быть иным, список гораздо шире, но в любом случае будет назван оперный театр.

И не случайно.

Тысячи людей приезжают в Одессу и, наслышавшись о красоте оперного театра, стремятся посетить его.

Театральная жизнь в Одессе ведет свою историю почти с первых дней существования города. Театр оперы и балета по праву можно назвать старейшиной среди целого ряда его культурных учреждений. Предшественник оперного — первый городской театр — сооружен в 1809 году по проекту архитектора Тома де Томона. Нынешний академический театр оперы и балета — гордость Одессы. О его уникальной архитектуре, истории развития и творческих достижениях коллектива рассказывается в этом фотоочерке.

ПЕРВЫЙ ГОРОДСКОЙ ТЕАТР

Вы, конечно, помните пушкинские строки — отрывки из путешествия Онегина, которые печатаются как приложение к роману в стихах.

Но уж темнеет вечер синий,
Пора нам в оперу скорей:
Там упоительный Россини,
Европы баловень — Орфей.
Не внемля критике суровой,
Он вечно тот же, вечно
новый,
Он звуки льет — они кипят,
Они текут, они горят,
Как поцелуи молодые,
Все в неге, в пламени любви,
Как зашипевшего Аи
Струя и брызги золотые...
Но, господи, позволено ль
С вином равнять do-re-mi-sol?

*

А только ль там очарований?
А разыскательный лорнет?
А закулисные свиданья?
А prima donna? *а балет?*
А ложа, где, красой блистая,
Негоциантка молодая,
Самолюбива и томна,
Толпой рабов окружена?
Она и внемлет и не внемлет
И каватине, и мольбам,
И шутке с лестью
пополам...
А муж — в углу за нею
дремлет,
Впросонках фора закричит,
Зевнет и — снова захрапит.

1. Одесский театр оперы и балета. Общий вид

Финал гремит; пустеет зала;
Шумя, торопится разъезд;
Толпа на площадь побежала
При блеске фонарей и звезд,
Сыны Авзонии счастливой
Слегка поют мотив игривый,
Его невольно затвердив,
А мы ревем речитатив.
Но поздно. Тихо спит
Одесса;
И бездыханна и тепла
Немая ночь. Луна взошла,
Прозрачно-легкая завеса
Объемлет небо. Все молчит;
Лишь море Черное шумит...

Итак, я жил тогда
в Одессе...

Не имеет значения тот факт, что того именно театра, о котором вспоминал в своей михайловской ссылке Пушкин, уже давно нет. Поэт живописал ведь не здание. Он воссоздавал атмосферу театрального празднества.
Не обмолвившись ни одним словом о своем поклонении театру, поэт пробуждает в читателе чувство такой любви к нему, наполняет душу его ожиданием такой радости от встречи с ним, что за одно это театр — не тот именно одесский, а вообще Театр — может и должен быть ему сердечно признательным.
В высшей степени справедливо, что создатели нынешнего дворца оперы и балета, поднявшегося на том самом месте, где стоял посещавшийся А. С. Пушкиным старый одесский городской театр, нашли возможным и необходимым запечатлеть эту признательность, так сказать, материально: по двум сторонам полукруглой части здания установлены четыре бюста. Один из них — бюст Пушкина.
О новом здании разговор еще впереди.
А пока давайте вспомним добрым словом старый, пушкинский, как его с любовью называют, театр, который служил верой и правдой городу еще почти пятьдесят лет после отъезда поэта из Одессы. В прежние годы театрами города обзаводились, успев состариться или вступив в зрелые лета. Сначала строили крепостные стены, церкви, торговые учреждения, питейные заведения, жилые бараки, резиденции властителей. Не до театров...
Одесса добилась права строить театр в 1804 году, а в 1809 году он был уже готов. 10 февраля 1810 года состоялось первое представление. Русская труппа П. Фортунатова поставила одноактную оперу Фрейлиха «Новое семейство» и водевиль «Утешенная вдова». Потом хозяином театра стала оперно-драматическая труппа князя А. Шаховского. Князь дал труппе свое имя, но ее участникам не дал воли — в труппе играли крепостные. Как и в

оркестре. Крепостные музыканты и певцы осуществили, кстати, постановку популярной в те времена оперы «Мельник — колдун, обманщик и сват», созданной М. Соколовским на текст А. Аблесимова.

Справедливо утверждение: спрос рождает предложение. Оно справедливо и для культуры тоже, не только для экономики. В городе, только-только начавшем поднимать свои стены, возникает цех музыкантов. За неимением стационарной труппы актерами становятся солдаты. Ведь впервые опера «Мельник — колдун...» была поставлена в Одессе в 1804 году, и они деятельно помогали бродячей труппе.

Да, спрос был. Предложение устраивало не всегда.

«Я готов согласиться, что уважающий себя столице неприлично обходиться без итальянской оперы. Но в качестве русского музыканта, могу ли я, слушая трели г-жи Патти, хоть на одно мгновение забыть, в какое унижение поставлено в Москве наше родное искусство, не находящее для приюта себе ни места, ни времени? Могу ли я забыть о жалком прозябании нашей русской оперы?..» — писал П. Чайковский.

То, что отличало музыкальную жизнь в Москве, отличало ее — еще, быть может, резче! — и в Одессе.

Впрочем, есть в этом один нюанс, не учитывать который нам не следует. Дело в том, что по весьма авторитетным свидетельствам Одесса служила чем-то вроде контрольно-пропускного пункта для гастролеров из-за рубежа. Принимала здешняя публика,— можно было отправляться и в столицы.

«Сливки» для Петербурга и Москвы нередко собирались, таким образом, на юге.

По описаниям, литографиям можно представить, как выглядело здание первого городского театра.

Сооружение было выдержано в классическом стиле. Здание развернуто фасадом к морю. Впечатляла колоннада главного входа.

Торжественность и изящество придавали театру лепные гирлянды и венки.

Зал подковообразной формы весьма вместителен: в нем могло находиться до 800 человек. Но далеко не всех «отцы города» (заказчики проекта) считали достойными сидячих мест: в партере было установлено лишь 44 кресла. Для избранных — три яруса лож. Для простонародья — галерея, тесная, захламленная, душная...

3. Главный портик

ЖЕМЧУЖИНА АРХИТЕКТУРЫ

Старый театр в Одессе сгорел в 1873 году. Полностью. Ни о каком восстановлении не могло быть и речи.

Это была трагедия, которую смягчало одно обстоятельство: никто из людей не пострадал. Известно, что через восемь лет вспыхнул пожар в венском Ринг-театре. Погибло не только здание, но и очень много зрителей. О венской беде можно было бы не упоминать, не случись странноватой переклички: именно венским архитекторам Ф. Фельнеру и Г. Гельмеру (Хельмеру) Одесское общественное управление предложило, как тогда выражались, составить проект городского театра, особо оговорив одно из условий,— должен быть соблюден с наибольшей последовательностью принцип безопасности публики. На тот, естественно, случай, если вдруг случится несчастье. «Отцы города» проявили большую разборчивость, даже некоторую капризность, выбирая проект нового здания. На усмотрение было представлено сорок три проекта. Пришлось слышать, что в конечном счете выбрано не самое

2. Скульптурные группы у входа

5. *Так выглядел первый городской театр*

лучшее предложение. Так это или не так, судить сейчас трудно. Но у нас нет оснований сокрушаться по поводу появления того именно дворца, который именуется сегодня Одесским театром оперы и балета.

Иное дело, что не стоит называть его кровным детищем одних лишь Ф. Фельнера и Г. Гельмера. Не стоит уже потому хотя бы, что ни один из них не осуществлял той скрупулезной и важной работы, необходимость которой диктует авторский надзор за стройкой. Много сделали для новостройки главный (с 1879 г.) архитектор Одессы А. Бернардацци, архитекторы Ю. Дмитренко и Ф. Гонсиоровский. Все это были крупные творческие личности, о чем свидетельствует целый ряд сооруженных по их проектам зданий в Одессе. Предание гласит, что Ф. Фельнер, прибывший в Одессу на церемонию открытия театра, якобы воскликнул: «Это лучший театр в мире!» Исторически безупречных свидетельств, подтверждающих такое именно заявление, не сохранилось. Но если оно действительно было, то такое восклицание можно считать признанием соавторства и благодарностью жителям Одессы за прекрасное воплощение проекта в жизнь. Сейчас есть уже немало документальных

4. *Сцена из комедии Аристофана «Птицы»*

7. *Руины после пожара 1873 года*

свидетельств, признающих за одесским театром мировое первенство. Вот, например, что говорил весной 1983 года известный писатель Джеймс Олдридж: «Великолепный, я подобного по красоте не видел ни в одной стране мира, оперный театр».

Почти одиннадцать лет прошло с момента пожара до закладки первого камня в здание нового театра. Знаменательное сие событие произошло 16 сентября (28 — по новому стилю) 1884 года. Театр вырос, как сказали бы мы сейчас, в рекордные сроки. Его открытие состоялось 1 октября 1887 года.

Сохранился номер «Новорос-

8. *Новый городской театр*

6. *Сцена из трагедии Еврипида «Ипполит»*

10. Момент водружения Кра́сного знамени 10 апреля 1944 года

сийского телеграфа» за октябрь 1887 года. Более половины занимает в нем рассказ об одесском городском театре.

Посему поведем свой рассказ как бы с двух временных вершин — сегодняшней и той, которая помечена 1 (13) октября 1887 года.

Слово — «Новороссийскому телеграфу»:

«Новый городской театр построен на Театральной площади, на месте сгоревшего театра... Наружный фасад театра приведен в стиль итальянского Возрождения...»

Со столь категоричным утверждением — стиль итальянского

11. Идет реставрация. 1967 год

9. Парадная лестница

Возрождения! — отнюдь не все согласны.

Одесский театр, полагают специалисты, выдержан, в основном, в духе барокко, а этот стиль, как известно, пришел на смену как культуре Возрождения, так и искусству маньеризма.

Но «выдержан в основном» — не значит, что выдержан идеально чисто, выполнен со школярской старательностью. В наружном оформлении здания одесской оперы, господствует дух барокко, но существует много примет стиля Возрождения. Они, по мнению доктора искусствоведения И. Лисаковского, «упрощают» барочные формы, делают их спокойнее, четче.

«По высоте здания архитектурно имеются три главных яруса: нижний, цокольный, заключающий в себе партер; второй, в котором помещаются бельэтаж и первый ярус; и третий, заключающий в себе второй ярус и галерею. Далее мы видим по фасаду полукруга с обеих сторон открытые балконы. Таких балконов на всем фасаде десять: восемь малых и два больших с тремя просветами каждый...

К театру существуют три главных подъезда...»

Нынешнее здание имеет двадцать входов и выходов плюс три отдельных выхода для рабочих и служащих театра.

Фасад театра щедро и многообразно украшен статуями.

Над главным портиком на пьеде-

12. Парадный вход

стале — группа, изображающая Мельпомену, мчащуюся на колеснице, в которую запряжены четыре пантеры. В левой руке музы — факел, правая рука поднята в приветствии. По бокам два гения. У гениев, как и положено, лавровые венки в руках.

На втором пьедестале — еще две группы. На правой Терпсихора обучает юное создание танцам, на левой — Орфей ублажает и очаровывает кентавра игрой на лире.

А в самом низу, по двум сторонам входа в центральный портик,— еще две группы: аллегорическое представление о комедии и трагедии.

Сюжет первой заимствован у Аристофана. Простой смертный, но самонадеянный, представил себя не кем-нибудь, а Зевсом, за что Зевсом подлинным был сурово наказан: превращен в короля птиц. Волю Зевса выполняет один из гениев — снимает с простака маску величия...

Сюжет трегедийной же композиции таков: Федра, дочь критского царя Миноса, вторая жена афинского царя Тезея, оплакивает убитого Ипполита, сына Тезея от первой жены. Ипполиту любовь мачехи стоила жизни. Федра заплатила такую же цену: она ведь оплакивает возлюбленного после того, как приняла яд. За трагедией наблюдает печальный ангел.

На фасаде портика, как раз над балконом,— два горельефных изображения. Две Славы с венками в руках. Кроме этих изображений вокруг фасада передней части здания по фронтону насчитываем шестнадцать фигур амуров, расположенных группами, поодиночке, пребывающих в разных позах.

По двум сторонам полукруглой части здания поставлены четыре бюста: А. Пушкина, А. Грибоедова, Н. Гоголя, М. Глинки — поэзия, драма, комедия, музыка.

Линии здания, вмещающего 1665 зрителей, обладают столь высокой динамичностью, что это скрадывает действительные его размеры, как бы уплотняет объем. Динамичность, по мнению специалистов, достигается за счет членения фасада, пластической отделки, учета возможностей светотени.

Структура здания сложна и в то же время чрезвычайно проста: подковообразная передняя часть с тремя примыкающими портиками, «посаженными» на разной высоте, над ними купол — как корона.

Отменно задуманы и «поставлены» три горизонтальных яруса.

Приземистый, сознательно «утяжеленный», лишенный всяких украшений первый, нижний ярус. Прямоугольные проемы лоджий с тосканскими (принято по справедливости отмечать их благородство) колоннами, верхняя часть которых изготовлена в виде «тарелок», а на них как бы прилегли прямоугольные плиты,—

это второй ярус. Наконец — третий: лоджия со сложными (не вообще сложными, а усложненными по отношению ко второму ярусу) проемами, колоннами и кокетливыми капителями. Колонны здесь разные: большие — ионические, малые — коринфские. На «челе» здания своеобразный венец. Это балюстрада, украшенная детьми-амурами «путти».

Особенность сооружения в том, что ярусы не «лежат» друг на друге, а будто «повисают». Их разделяют выполненные в духе спартанской простоты «пояски», называемые еще «паузами» между этажами. Определение это представляется поэтичным и точным. Если архитектура — застывшая музыка, то в ней должны быть паузы, как есть цезуры в стихах.

Ярус здания чем выше, тем массивней. Однако ощущения, что фасад утяжелен, не возникает. Дело в законах перспективы, которыми разумно воспользовались строители. Верхние ярусы, когда подходишь к театру близко, как бы сжимаются, что позволяет воспринимать верхнюю часть как нечто воздушное. В немалой степени — благодаря продуманной и мастерски выполненной декорировке последующих ярусов.

Здание одесской оперы таит в себе еще один секрет.

Если смотреть на фасад со стороны, то перед вами предстают не три, а два пояса: массивный, обстоятельный, устойчивый — нижний; изящный, легкий — верхний. Легкость эту обеспечивает аркада лоджий, силуэты разбросанных над балюстрадой скульптур. Разгадка в том, что нижний и средний ярусы объединены одинаковой (под грубую кладку) обработкой стен и поэтому зрительно совпадают. Перед тем как войти внутрь здания, окинем еще раз любовным взором, восхитимся пропорциями, четкостью линий, грациозностью, его окрыленностью, вслушаемся в музыку сооружения.

Впечатляет внутреннее оформление театра.

Нижний этаж, партер и ложи бенуара, фойе в виде широкого, идущего полукругом коридора, гардеробная, коридоры перед ложами бенуара, богато украшенные лестницы...

Но пройдемте в зал. Он так же восхищает зрителей, как почти сто лет назад.

«Зрительный зал поражает небывалой в Одессе роскошью и красотой отделки лож. Во всем зале снизу до потолка включительно преобладают бархат, сатин, позолота. При великолепном освещении все это блещет, горит, сияет...» — писал «Новороссийский телеграф».

Для нас слова «при великолепном электрическом освещении» кажутся простой констатацией факта. Избитый эпитет... Но не

забудем, что относятся они к 1887 году. Электричество еще не норма — оно в диковинку.

В Одесском театре лампочки вспыхнули в день открытия занавеса. Для этого была построена электростанция. Не простая. Первая в России центральная электростанция переменного тока. Напомним, кстати, что старый театр освещался газовыми рожками, что и привело к трагедии 1873 года. Перенесемся на 80 лет вперед, в год 1967-й.

В Одессе заканчивается приуроченная к празднованию 50-летия Великой Октябрьской социалистической революции и проведенная в самых широких масштабах капитальная реставрация театра.

Представление о размахе работ дают хотя бы такие, далеко не полные, цифры-факты. Израсходовано около четырех миллионов рублей. Тридцать пять предприятий — Москвы, Ленинграда, Киева, Харькова, Ставрополя, Саратова, Полтавы, Краснодара, Куйбышева, Бельц, Армавира — трудились на объекте. Уложено около тысячи километров различных проводов, пятьдесят километров труб. Сто шестьдесят километров — протяженность проводов, обеспечивающих связь пульта управления со сценой... Работа длилась более пятисот суток. Это была полная модернизация, скрупулезнейшее восстановление исторической постройки.

14. А. Олдридж в роли Отелло. Одесса. 1866 год

15. С. Крушельницкая и Дж. Пуччини

13. Уголок центрального вестибюля

Впрочем, «восстановление» — не совсем точное слово.

Существенные изменения претерпели всевозможные театральные коммуникации, нельзя было пройти мимо последних достижений. Когда, например, реставраторы промыли кислотами старую позолоту, то в восьмидесяти случаях из ста она позеленела. Это значит, что первоначально использовано было не чистое золото, а суррогат. Вот вам и «блещет, горит, сияет»!

В 1967 году реставраторы использовали только чистое золото высокой пробы. Было израсходовано десять килограммов благородного металла.

Стиль, в котором в основном выдержано оформление внешнего вида театра, как уже было сказано,— барокко. Можно было ожидать, что его принципы — с теми или иными допустимыми отклонениями — будут положены в основу оформления зала. Ан нет! Здесь торжествует рококо. А рококо — это, прежде всего, выгнутые линии, сплетение орнаментов (резьбы и лепки), лукаво игривые завитушки, зеркала, живопись, панно, картуши, то есть скульптурные или графические украшения, изображающие щит, ленту с надписями, гербами, эмблемами.

Взгляд вошедшего в зал легко скользит от почти суровой простоты бенуара к ложам бельэтажа, в оформлении которых уже больше «раскованности», от них — к более прихотливо напряженным ложам первого и второго ярусов. Дальше изящная, почти воздушная аркада, окружающая галерею. И как финальный мазок, как взрыв звуков, как верхнее «соль» — плафон.

«Потолок украшен замечательно изящной лепной работой и отделан золотом. Средняя часть потолка занята четырьмя картинами, чрезвычайно мастерски и художественно исполненными венским художником Лефлером. Сюжеты для картин взяты из четырех произведений великого английского драматурга В. Шекспира «Гамлет», «Сон в летнюю ночь», «Зимняя сказка» и «Как вам это понравится». Сообщив эти сведения, критик из «Новороссийского телеграфа» попутно замечает: «Жаль только, что эти прекрасные картины... по своим сюжетам будут непонятны большинству зрителей. Неужели нельзя было подобрать сюжеты для картин из русских произведений или из русской оперы?»

Не только можно, но и нужно было, скажем мы сейчас. Что же касается предположения, что сюжеты на темы из произведений Шекспира большинству зрителей будут непонятны, то сегодня оно вряд ли может быть признано обоснованным. Ибо сегодня даже серьезные исследователи творчества Шекспира в Англии не могут не признать, что в нашей стране творчество их великого соотечественника

16. Фрагмент скульптурного оформления

знают не хуже, а в ряде случаев и лучше, чем знает его массовая публика на Британских островах.

Одна из достопримечательностей зала — люстра.

Полторы тонны — таким был вес старой люстры. Две тонны двести килограммов — вес нынешней. Она — точная копия той, которая украсила зал нового театра в 1887 году. А тяжелее потому, что изготовлена из более прочных и тяжелых сплавов.

Чтобы уж закончить разговор о реставрации театра, непременно следует сказать, что к реставрационным работам приступили лишь после того, как был решен

17. Охранная доска

один очень существенный вопрос. Дело в том, что здание театра начало стремительно оседать: оно как бы повисло, под ним образовались пустоты.
Решили использовать жидкое стекло. Под большим давлением многие тонны его залили под основание фундамента, обеспечив последнему, таким образом, ложе.
Сейчас, однако, специалисты бьют тревогу: здание садится. Нужно срочно организовать работы по его спасению. Проблема эта, безусловно, не только одесская, хотя одесская — в первую очередь.

«И СЕРДЦЕ СЖИГАТЬ НАМ...»

Здание, даже самое совершенное и прекрасное, еще не театр. Без стука человеческих сердец, без радости людей, без боли, без восторга, без печали, грусти и надежды театра нет.
Здесь необходимо подчеркнуть: Одесский театр оперы и балета, только как театр оперы и балета, существует с 1926 года. До этого равноправными хозяевами Городского театра, как он именовался ранее, были и музыканты, и драматические труппы.
Жаль, конечно, но объем и характер книги не позволяют более или менее подробно остановиться на деятельности работников драматического цеха.

18. Парадный занавес и ложи

Отметим только, что в Одессе, как и в других городах на Украине, до революции шла упорная борьба за утверждение национальной культуры.

Черноморский город может гордиться тем, что великий Марк Кропивницкий, основатель украинского профессионального реалистического театра, театра корифеев, впервые вышел на сцену именно в Одессе — он готовился стать студентом Новороссийского университета, а стал подданным сцены.

В Одессе же Афанасий Тобилевич принял окончательное решение поменять военную карьеру на артистическую. Мир остался в неведении о полководческих талантах Тобилевича, но он был более чем вознагражден, узнав блестящего лицедея Афанасия Саксаганского.

В Одессе находили приют и нежное поклонение Мария Заньковецкая, Иван Карпенко-Карый, Николай Садовский, Иван Марьяненко.

Слова о приюте, кстати говоря,— не дань патетике, они документально точны. Дело в том, что гневливый и пугливый киевский генерал-губернатор распорядился выпроводить из Киева украинскую труппу без права появления в генерал-губернаторстве, а это значит — и в Чернигове, и в Полтаве, и на Волыни, и в Подолии.

Труппу приняли в Одессе.

История театра хранит память о трогательной встрече в нашем городе Петра Ильича Чайковского с украинскими актерами. Гениальный композитор преподнес Марии Заньковецкой венок с волнующей надписью «Бессмертной — от смертного».

Надо сказать и о том, что живший в те годы на Одесщине композитор Петро Нищинский после знакомства с Марком Кропивницким и по его просьбе пишет для «Назара Стодоли» широко известное музыкальное произведение «Закувала та сива зозуля...»

Здесь уместно будет заметить, что еще одна песня, давным-давно перешагнувшая границы государств и континентов, своим рождением обязана нашему городу. Это «Реве та стогне Дніпр широкий» на слова Тараса Шевченко. Песня столь популярна, что долгое время считалось: создатель музыки — народ. Так и объявляли: «Музыка народная». Для творца такое признание является высшим из возможных признаний, и Даниил Крыжановский — а именно он автор! — мог быть счастлив: полнота и искренность волновавших его чувств не просто облеклись в яркие музыкальные образы — выразили самое душу народа. В заключение этого отступления следует упомянуть, что в Одессе выступали М. Щепкин, П. Мочалов, А. Мартынов, А. Ленский, М. Савина, К. Станиславский и вся блестящая плеяда его ратников, что здесь гастролировал друг Шевченко великий гритянский трагик Айра-Фрерик Олдридж, что приезжали да В. Белинский, Н. Гоголь, Островский и многие другие уженики братской русской льтуры.

цесса в первые годы своего ществования заявила о себе к о большой поклоннице музы-

ке упоминалось, что цех музынтов возник в городе, когда м город насчитывал лишь пять г своего существования. 1820 года здесь начали создаться всевозможные музыкале кружки, через тридцать лет е действовало филармоническ общество. В сороковых годах явились первые частные музыльные школы.

1866 году открылась первая зыкальная школа, историю торой можно, не рискуя впасть непомерно восторженный тон, звать славной. Ведь именно из затем выросла (официально было оформлено в 1913 году) есская консерватория, носяя ныне имя великой певицы, ной из первых народных артик СССР А. В. Неждановой. тонина Васильевна родилась 873 году в учительской семье еле Кривая Балка под Одес. Ее отец принадлежал к тем узиастам, которые способствали развитию музыкальной зни в городе, он играл на скрипке, организовывал музыкальные хоры.

Но все это были лишь искры, это были ручейки, результат усилий неистовых энтузиастов, чью деятельность «отцы города» или вообще не замечали, или снисходили к ней как к чудачествам людей не от мира сего. Подлинной заботы, заинтересованного внимания, основательной поддержки не было, а потому силы были разобщены, организационно не оформлены.

Вот и случилось, что Одесса имела великолепное здание театра с изумительной акустикой, но у театра не было стационарной оперной труппы. О балетной и говорить не приходится. В ту пору балетные труппы существовали только в Петербурге и в Москве, а провинциальные театры отваживались на создание лишь небольших групп, способных разве что заполнить паузы.

Что оставалось делать?

Приглашать оперные труппы из других мест.

Из каких?

Считалось, что здесь проблем нет. Есть Италия. Есть расторопные антрепренеры.

Но вчитайтесь в меланхолическое сообщение старой одесской газеты: «Сегодня в городском театре прощальный спектакль итальянской оперы... Оперный сезон продолжался около двух с половиной месяцев. Дела были слабы. Понесенный убыток простирается, говорят, до 9000 рублей».

узыкальная жизнь в театре
чала оживать, обретать новые
аски, заявлять о себе как о
оцессе, в основе которого есть
ысль, план, цель, с появлением
рьезного и глубокого руково-
теля.
Насколько и певцы, и хор, и
кестр играют покойнее и уве-
ннее, если ими управляет при-
чная и уверенная рука их на-
ящего капельмейстера! Осо-
нно, когда капельмейстер та-
й хороший и дельный, как При-
к»,— писал П. Чайковский.
Прибик как раз и был тем
ловеком, с чьим именем связа-
история становления Одесско-
театра оперы и балета. Он
зусловно заслуживает того,
обы рассказать о нем подроб-
е.

осиф Вячеславович родился в
большом местечке Пршибрам
Чехословакии в 1855 году,
кончил органную школу, а
том и консерваторию в Праге
в 1878 году приехал в Россию.
Одесский театр его рекомен-
вал Петр Ильич Чайковский.
Одессе Иосиф Вячеславович
явился в канун своего соро-
летия — в 1894 году. В этом
году стал здесь за дирижер-
ий пульт. Отсюда же, в возра-
восьмидесяти двух лет, в зва-
и почетного дирижера театра,
и ушел из жизни.
оль велико было в Одессе
силье итальянской оперы, мож-
судить по тому, что только с
иходом И. Прибика впервые

20. Ф. Шаляпин

21. Л. Собинов в роли Ленского

Ложи

23. Скульптура над сценой

здесь были поставлены произведения отечественных авторов: Глинки — «Иван Сусанин», «Руслан и Людмила», Чайковского — «Евгений Онегин», «Чародейка», «Иоланта», Римского-Корсакова — «Снегурочка», которые давно уже с успехом ставились во многих театрах России. Особо стоит отметить, что И. Прибик стремился пригласить на сцену театра выдающихся русских певцов, а также вынести музыку на широкий простор: при нем вошли в практику так называемые общедоступные концерты.

Он поддерживал творческие отношения, переписывался с Чайковским, Рубинштейном, Римским-Корсаковым, Балакиревым, Направником, Аренским, входил в состав жюри представительных конкурсов, выступал инициатором приглашения в Одессу лучших русских певцов и руководил спектаклями, в которых пели Ф. Шаляпин, Л. Собинов, М. и Н. Фигнеры, Л. Яковлев, С. Крушельницкая. При нем выросли и заявили о себе на одесской сцене певцы П. Цесевич, С. Ильин, В. Селявин, В. Лубенцов, Г. Пирогов, Ф. Мухтарова и многие-многие другие.

И. Прибик восторженно встретил Великую Октябрьскую социалистическую революцию, Советскую

22. Ложи бельэтажа и первого яруса

власть. Он принял самое активное участие в строительстве новой социалистической культуры и вполне заслуженно был удостоен высокого звания народного артиста Советской Украины. Сорок три года в одном театре — это действительно подвижничество.

Много сил и времени отнимала работа художественного руководителя театра, но И. Прибик успевал еще и писать оперы, в том числе и для детей, преподавать в консерватории, быть наставником молодых дирижеров.

Здесь уместно сказать несколько слов о Николае Дмитриевиче Покровском. Он двадцатипятилетним приехал в Одессу, тепло был принят И. Прибиком, активно включился в работу.

Почти двадцать лет руководил он коллективом театра оперы и балета, проведя его сквозь все сложности послевоенного возрождения и подняв на достижение больших и значительных творческих побед. В 1948 году ему было присвоено звание народного артиста республики, он награжден орденами. В 1988 году Николай Дмитриевич умер. Последние его годы были связаны с консерваторией — он работал главным дирижером оперной студии, через «его руки» прошли многие из тех, кто позже заявил о себе на многочисленных и разнообразных международных конкурсах и кто поет сегодня в

25. П. Чайковский

26. В. Фемелиди

24. Оркестр

ведущих театрах страны.
Но до конца дней своих пристально следил Николай Дмитриевич за положением дел в театре, радовался успехам и с болью душевной воспринимал неудачи. Он оставил после себя блистательные воспоминания, написанные остро, умно и беспощадно правдиво.

Можно только сожалеть, что рукописное наследие Н. Д. Покровского до сих пор не приведено в надлежащий порядок. Будем утешаться тем, что работа началась.
Но вернемся в 20-е годы.
Неотложных дел у власти рабочих и крестьян было неисчислимое множество — политических, хозяйственных, военных, но в ряду первостепенных находились и заботы культурного фронта. 12 сентября 1922 года официально и торжественно был открыт Одесский городской театр, которому присвоили имя А. В. Луначарского. В 1923 году широко обсуждался вопрос о выделении оперы и балета в самостоятельный коллектив, т. е. о превращении городского театра в театр оперы и балета. Не обошлось, безусловно, и без перегибов. Отдельные личности, зараженные высокомерием старого времени, утверждали, что опера слишком высокое искусство, чтобы она могла стать массовым зрелищем. Другие же, любители хлесткой левой фразы, заявляли, что опера не высокое, а отжившее

28. А. Нежданова в роли Виолетты в опере Дж. Верди «Травиата»

29. А. Кривченя в роли Фарлафа в опере М. Глинки «Руслан и Людмила»

27. Центральная люстра

искусство, что возможности свои она исчерпала и правда заключается не в том, что она непонятна народу, а в том, что она ему не нужна.

В 1925 году по этому поводу был объявлен широкий диспут в Доме ученых имени Щепкина.

1925 год вошел в историю театра еще одной, к сожалению, печальной страницей. Вновь случился пожар.

1925 год... Не все старые предприятия в строю. Каждый рубль на счету. Безработица.

И вот в этих невыносимо тяжких условиях правительство республики считает возможным и необходимым принять специальное решение о выделении средств на восстановительные работы в Одесском театре оперы и балета. Ходом этих работ постоянно интересуется нарком А. В. Луначарский. Участвуют в них не только жители Одессы. Николаевские судостроители, к примеру, не просто восстановили, а существенно улучшили сценическую площадку, увеличили ее, устранив тем самым дефект, на который обращали внимание в 1887 году. ЦК профсоюза работников искусств объявил «День Одессы» — все средства, вырученные в этот день, тоже были направлены на восстановление Одесского театра.

Огненная беда пришла в театр в марте 1925 года, а уже в ноябре ее последствия были

31. Р. Сергиенко в роли Манон в опере Дж. Пуччини «Манон Леско»

32. Л. Ширина в роли Лизы в опере П. Чайковского «Пиковая дама»

30. Сцена из оперы Н. Лысенко «Наталка Полтавка»

34. Сцена из балета П. Чайковского «Спящая красавица»

практически ликвидированы. Весной 1926 года он начал функционировать. Но назывался уже не городской, а театр оперы и балета.

Ориентируясь на высшие достижения оперного и балетного искусства, коллектив одновременно проявлял большую заинтересованность в пополнении своего репертуара произведениями советских композиторов. В 1925 году композитор А. Пащенко написал оперу «Орлиный бунт». В 1927 году она обрела сценическую жизнь в Одесском театре.

В 1929 году осуществлена была постановка оперы В. Фемелиди «Разлом», в 1931-ом — оперы О. Чишко «В плену у яблонь», в 1935-ом — оперы К. Данькевича «Трагедийная ночь»...

Эти оперы не только были поставлены в Одессе, но и созданы здесь.

Владимир Фемелиди и Константин Данькевич — коренные одесситы, оба родились в 1905 году, учились в одном и том же учебном заведении — в Одесском музыкально-драматическом институте имени Л. Бетховена.

Творческую деятельность Фемелиди начал очень рано. Его называли еще Володей (двадцать три года от рождения), когда уже поставлен был его балет «Карманьола». К сожалению, развернуть свои способности он не ус-

33. Грации

пел: в двадцать шесть лет его не стало. Он умер в октябре 1931 года. Знал, что умирает. Но до последнего мгновения работал. Осталась незаконченной опера «Цезарь и Клеопатра». Он ушел из жизни, оставив после себя не только балет и оперы, но и симфоническую поэму «Лукоморье», две симфонии, концерты, романсы, радиооперу «Броненосец «Потемкин».

Константин Данькевич в 1929 году закончил учебу в консерватории, преподавал в ней, был ее ректором, в 1953 году переехал в Киев, одиннадцать лет руководил Союзом композиторов Украины. «Трагедийная ночь» родилась в тесном содружестве с одесским театром, другие его работы — опера «Богдан Хмельницкий», балет «Лилея» — появились на одесской сцене, пройдя испытания столичной. Интересный штрих. Когда Киевский академический театр оперы и балета в пятидесятые годы отправлялся в Москву, чтобы показать там «Богдана Хмельницкого», то дирижировать приглашен был Н. Покровский из Одессы. Не случайно. Дело в том, что сама опера создавалась в тесном творческом содружестве композитора именно с этим дирижером.

Олесь Чишко — харьковчанин, в одесском театре он выступал как певец. Руководство театра, узнав о том, что он пробует свои силы в композиции, всячески поощряло его. Лучшее тому до-

36. А. Пирогов в роли Бориса Годунова в одноименной опере М. Мусоргского

37. Г. Поливанова в роли Марии в опере П. Чайковского «Мазепа»

---

35. Сцена из балета А. Хачатуряна «Спартак»

казательство — постановка его оперы.

Чишко как бы перенял эстафету у Фемелиди в работе над оперой «Броненосец «Потемкин». Первую редакцию оперы он завершил в 1937 году, в 1955-м основательно ее переработал, во второй редакции она и шла на сцене театра.

Люди писали музыку, ставили спектакли, строили планы, учились, совершенствовали свое мастерство, растили детей, делали открытия...

А с запада, из фашистской Германии, подползал к нашей земле призрак страшной войны.

На рассвете 22 июня 1941 года он стал явью.

В начале августа Одесса была отрезана от Большой земли, связь поддерживалась только морем — началась кровавая 73-дневная битва за город.

Те из одесских музыкантов, певцов, танцоров, которым удалось в 1941 году выбраться из осажденного города, объединились с коллегами из Днепропетровского театра оперы и балета и выступали единым коллективом в далеком Красноярске.

Объединенный творческий коллектив проработал около 3 лет. С успехом шли в Сибири «Евгений Онегин», «Наталка Полтавка», «Запорожец за Дунаем». В Красноярске театр дал 522 спектакля. Творческая жизнь коллектива не ограничивалась выступлениями на «большой сцене». Группы артистов выезжали

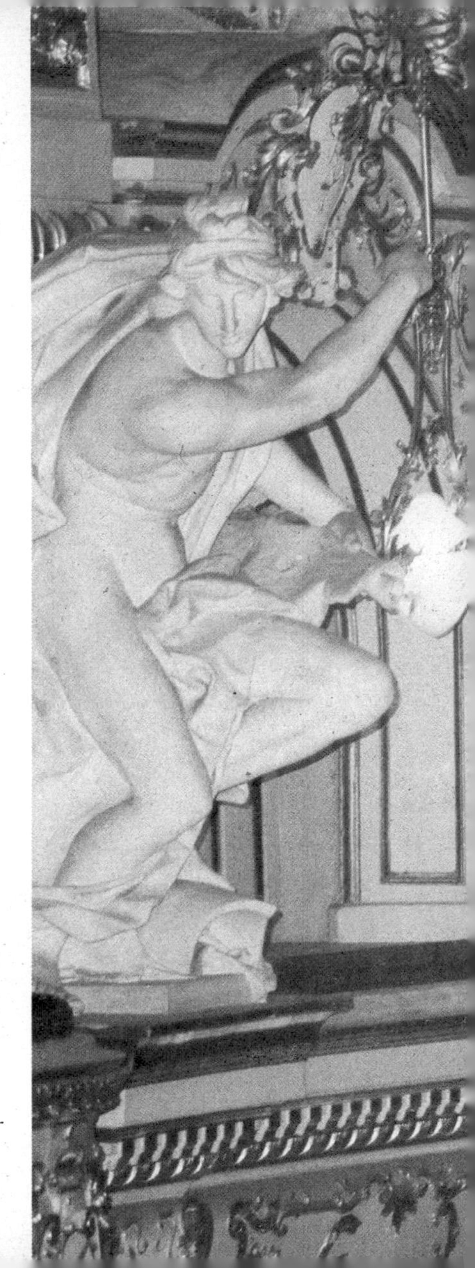

38. Скульптурная группа у портала сцены

в действующую армию, где состоялось около 150 концертов. Артисты стали возвращаться в город сразу же после его освобождения.

Примечательно, что 10 апреля 1944 года Красное знамя было водружено именно на центральном балконе оперного театра. Уже в первые дни в только что разминированном театре (уходя, фашисты хотели его взорвать) был поставлен спектакль для воинов-освободителей. Шла опера Бизе «Кармен».

«Я одна из участниц освобождения города Одессы в апреле 1944 года. Под командованием Р. Я. Малиновского наши части участвовали в боях за освобождение города.

И вот нас, военных, пригласили в оперный театр. Это был для нас праздник! Мы упивались музыкой Бизе.

Помсщение театра было в плохом состоянии, но он был цел, он сохранился, его спасли!

До войны я не бывала в Одессе, не знала, что есть такой прекрасный театр. И вот, находясь в нем, я почти плакала»,— вспоминает ветеран Великой Отечественной войны Е. Москаленко.

Пока здание театра приводили в порядок, пока разыскивали нотную библиотеку, гардероб — то, что оккупанты пытались вывезти и многое из чего нашли в разрушенных бомбежкой вагонах недалеко от Раздельной, артисты, разбившись на бригады, устремились с концертами на фронт. Через четыре года в действующей афише театра — двадцать три спектакля. Год от года афиша эта пополнялась все новыми и новыми работами. Ежегодно театр принимал гастролеров из Москвы, Киева, Ленинграда, Тбилиси, Еревана, Баку, из Болгарии, Венгрии, Румынии, Польши, Италии...

Стоит непременно назвать тех, кто трудился рядом с Н. Покровским в пору возрождения театра — режиссеров Н. Боголюбова, С. Ильина, Я. Гречнева, дирижеров Е. Русинова, В. Герцмана, художника П. Злочевского...

Список тех, кому театр дал путевку на столичную сцену, весьма внушителен. А. Кривченя и Е. Чавдар, М. Гришко и Г. Олейниченко, З. Христич, П. Василевская и Т. Пономаренко... В киевской опере поет сейчас И. Пономаренко, в Большом театре — Л. Шемчук, А. Ворошило, Д. Харитонов, в минской опере — М. Гулечина (в Одессе ее знали под фамилией Мурадян). Людмила Шемчук, оставаясь солисткой Большого театра, поет по контракту в венской опере, Дмитрий Харитонов — в лондонской.

Шемчук, Ворошило, Пономаренко — воспитанники Одесской консерватории, все — из класса Ольги Николаевны Благовидовой, все отмечены на Международном конкурсе имени П. И. Чайковского в Москве, причем

---

39. Плафон зрительного зала украшают четыре медальона на темы пьес Шекспира

у Пономаренко и Шемчук — первые премии. А до них такой же награды удостоился Николай Леонидович Огренич, ныне народный артист Украинской ССР, ректор консерватории. Б. Руденко и З. Христич тоже прошли школу профессора Благовидовой, более тридцати лет возглавлявшей кафедру сольного пения. Ольга Николаевна в 1926 году закончила Одесскую консерваторию, пришла в театр, вскоре приглашена была в Большой театр. Потом возвратилась в Одессу уже навсегда. В 1948 году завершила она свою артистическую карьеру, сосредоточилась только на педагогической деятельности, которую начала еще в 1933 году. Успехи кафедры, которую она возглавляла, получили не только всесоюзное, но и международное признание. Приняла эстафету О. Н. Благовидовой Г. А. Поливанова — народная артистка республики, создавшая на сцене театра более двадцати образов.

Зрители не забыли солистов театра И. Воликовскую и Н. Дидученко, Н. Топчия и М. Егорову, И. Тоцкого и В. Попову, С. Данченко и А. Мицкевич, Н. Савченко, хормейстера Д. Загрецкого.

Называя упорных и одаренных тружеников, пользовавшихся любовью и признательностью зрителей, непременно стоит назвать Раису Сергиенко, народную артистку СССР.

С берега Днепра приехала в черноморский город Зинаида Лысак, закончила консерваторию, в 1957 году принята в труппу театра, ныне она — народная артистка республики.

Одесса хорошо знает двух басов — Анатолия Рихтера и Евгения Иванова, первый — ученик знаменитого Ивана Сергеевича Паторжинского, второй — воспитанник Харьковской консерватории. Первый еще продолжает петь, второй — полностью сосредоточился на преподавательской деятельности в консерватории, стал профессором, пользуется огромным авторитетом в среде профессионалов: едут к нему со всей страны певцы, готовящиеся участвовать в международных конкурсах, сам он — член, а порой и председатель жюри различных конкурсов. Надо здесь сказать и о том, что большую помощь Е. И. Иванову оказывает его жена — концертмейстер Людмила Иванова, мастер международного класса, на конкурсе в Бразилии она, к примеру, была признана лучшим концертмейстером...

Нельзя не упомянуть о таких мастерах, как В. Нещеретный, А. Капустин, Г. Дранов, А. Джамагорцян, В. Олейникова, Т. Мороз, Л. Ширина, Н. Шакун, А. Бойко.

Было бы неверным утверждать, что путь труппы — это шествие по Долине роз. Все случается. И кризисы тоже. В результате одного из них ушел из театра

главный дирижер Борис Грузин, но сейчас он вновь вернулся, шаг этот встречен музыкальной общественностью с пониманием и одобрением.

Гордость театра — его балетная труппа, ведущая отсчет своей биографии с 1923 года. Еще в 1910 году была создана балетная группа, но это не одно и то же. Впрочем, и группа не обделена была талантами: история балета включила в свою память балетмейстеров П. Лозинского, Р. Ремесловского, артистов Е. Пушкину, Т. и В. Гамсахурдиа, В. Каросса.

О достоинствах нынешней труппы можно судить по такому красноречивому факту. Народная артистка СССР Майя Плисецкая опаздывала из гастрольной поездки. Ее ждали в Москве с нетерпением: должны были ставить балет «Кармен-сюита». Как выйти из положения? «Пусть станцует Наташа Барышева из Одессы»,— предложила Майя Михайловна. Она знала свою одесскую коллегу, так как в 1973 году осуществила на одесской сцене постановку «Кармен-сюиты». Кармен в этом спектакле танцевала Барышева, ныне народная артистка Украинской ССР. В 1976 году Майя Михайловна вместе с Натальей Ивановной Рыженко поставила на одесской сцене балет «Анна Каренина». Осенью 1983 года одесская балетная труппа вместе с Майей Плисецкой отправилась в двухмесячное театральное турне по Испании. Специально для этой поездки в новой редакции было поставлено неувядаемое «Лебединое озеро».

Получилась своеобразная перекличка во времени. Ведь именно с «Лебединого озера», поставленного Р. Баланотти, началась творческая история одесской балетной труппы в 1923 году.

В одесском балете работали балетмейстеры Г. Голейзовский, Н. Болотов, П. Вирский, М. Моисеев, В. Вронский, Н. Трегубов, И. Чернышев, П. Иоркин, С. Павлов, А. Чичинадзе. Сейчас труппу возглавляет Владимир Михайлович Хипчанский.

С благодарностью вспоминают любители балета таких мастеров, как К. Сальникова, А. Васильева, Т. Иваньковская, А. Терехов, М. Егоров, И. Балаева, А. Данченко, И. Михайличенко, А. Рындина (она, кстати, выступала и как автор либретто: в 1947 году по ее сценарию на музыку Е. Русинова был поставлен балет «Олеся»), В. Каверзина, А. Середа и другие.

Многое сделали и делают для упрочнения авторитета одесского балета, кроме называвшейся уже Н. Барышевой, С. Антипова, Э. Караваева, М. Петухов, П. Фомин, В. Новицкий, В. Каверзин, В. Волкова, В. Грищукова, С. Яппаров, Н. Стоян и другие. В труппе много талантливой молодежи.

---

41. «Гамлет»

* * *

С 1929 года Одесский театр оперы и балета — в ранге академического. Конечно, это высокая честь; бесспорно, это ко многому обязывает. Можно утверждать, что труппа театра способна удовлетворить высокие требования. Можно, ибо есть масса самых различных и авторитетных свидетельств. Иван Семенович Козловский, к примеру, после гастролей нашей оперы в Москве в 1985 году писал: «Они демонстрировали свое вдохновенное искусство без перерыва два часа. Зал наполнила профессиональная аудитория — труженики театров. И концерт, и сам приезд вызвали необычайный интерес».

Но было бы неверно заканчивать рассказ на этой не столько мажорной, сколько благодушной ноте. Ибо сложна, неоднозначна, а если говорить честно, то и просто тяжела жизнь коллектива. Ведь остаточный принцип финансирования нашей культуры, который на десятилетия утвердился у нас и который стал причиной стольких бед нашего искусства, не мог не сказаться и на судьбе Одесского театра оперы и балета. Бедность, говорят, не порок. Но бедность — не благо, бедный — не свободен, бедный — унижен, как бы он не пытался скрыть это и с каким достоинством не вел бы себя. Сейчас много говорится о спонсорстве, о меценатах. Все это хорошо, но все это — не кардинальное решение проблемы. Кардинальное — это такая государственная политика, которая не на задворки отбрасывает культуру, а поднимает ее на высоту, какую она заслуживает. Культура не создает материальных благ? Не создает. Но без нее невозможно сформировать такую личность, которой под силу решение самых сложных проблем, в том числе и создание материальных благ.

Такой политики у нас пока нет. Но — будет, не может не быть, ибо иначе ничего у нас не будет, ничего не получится.

Надеюсь, что новый рассказ о нашем театре оперы и балета я буду вести уже в других условиях...

The Odessa Opera and Ballet House

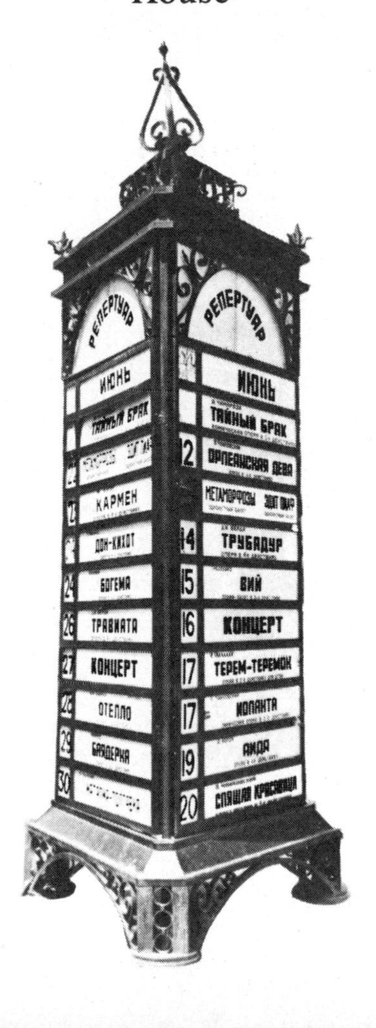

The Odessa Opera and Ballet Houses is one of the city's architectural sights.
The theatre building was constructed in 1887 according to the project of the Vienna architects F. Felner and G. Gelmer. On this very site there stood before an old municipal theatre built in 1809. Its designer was a Russian architect Toma de Tomon. The old theatre was burnt down in 1873. The construction of the new building which was to become an architectural pearl of the city was started on September 28, 1884. The curtain was first raised on October 13. Considering the scope of the work done, its complexity and refinement we can call the builders real magicians of their deed. Legend says that F. Felner who arrived in Odessa from Vienna in 1887 for the opening ceremony cried out: „This is the best theatre in the world!“.
There is no historical confirmation of this assertion. But there are more than enough enthusiastic comments from the city's guests. Here is one. It belongs to the English writer James Aldridge who on visiting Odessa in the spring 1983 said: „Magnificent I haven't seen in any country of the world an opera house like this“.
The design of the exterior of the Odessa Opera House is ma-

43. Сцена из оперы М. Мусоргского «Хованщина»

de, as the specialists hold, in baroque. But there are also many elements of the Renaissance style.

The lines of the building are so highly dynamic that a visual effect of lessening its dimensions and minimizing its size is actieved. The dynamism is obtained at the expense of the articulation of the facade, by plasticity of decoration and utilizing the effect of chiaroscuro.

The composition of the building is complicated but at the same time very simple: the front part is horseshoe-shaped with three adjacent porticos placed on different levels with a dome crowning the top. Well planned and erected are three horizontal circles. The ground one is squat — dead load of the construction is deliberetely increased being devoid of any stucco moulding.

The first circle consists of loggias with Tuscan columns, the tops of which are disk-shaped supporting right-angled slabs.

The second circle has loggias with complicated apertures and columns having showy capitals: the large columns are Jonic and the smaller ones are Corinthian.

The house has twenty entrances and three additional ones are for the staff.

The facade of the edifice is richly decorated with sculptures representing characters of Ancient Greek mythology.

Over the main portico is Melpomena placed on a pedestal. She is tearing along in a chariot harnessed to four panthers. The Muse has a torch in her hand, her right hand is raised in a salute. On both sides are two genii holding laurel garlands.

Two more groups are placed on the second pedestal. The one on the right shows Terpsichora teaching a young creature to dance. The left group portrays Orpheus enchanting the Centaur by his playing on the lyre. Below on both sides of the entrance to the central portico are two more groups: an allegoric presentation of Comedy and Tragedy.

There are two alto-relievo portrayals on the façade of the portico right over the balcony — two Glories with garlands in their hands.

In the niches over the second circle you can see the busts of M. Glinka, A. Pushkin, N. Gogol, A. Griboyedov personifying Music, Poetry, Comedu and Drama.

The interior decoration is mainly in rococo, lavish and rich.

The eye glides from the almost stern simplicity of the boxes to the dress circle in the decor of which there is more freedom; from them the eye glides to the more whimsically decorated boxes of the first and second circles; and then to a graceful and almost airy arcade which frames the gallery.

Magnificent is the ceiling the middle part of which has four paintings representing scenes from Shakespeare's plays: „Hamlet", „A Midsummer Night's Dream", „A Winter Tale" and „As You Like it".

The central chandelier weighs almost two and a half tons.

In 1926 there was another fire. These were the difficult years for the young Soviet Republic. But throughout these times the Government of the Soviet State took full care of the spiritual tife of the working masses. A special pesolution assigning sums for the reconstruction of the Odessa Theatre was adopted. People's Commissar A. Lunacharsky took a constant interest in the progress of the work.

In a year in the spring of 1926 the theatre was reopened.

In 1967 a thourought restoration was carried out. Ten kilograms of gold of the highest standard was used in the course of the work.

Many outstanding Russian and foreign mus'cians of the end of the XIXth century and the XXth ap-

44. В фойе бельэтажа

46. Сцена из оперы Т. Хренникова «В бурю»

peared on the stage of the theatre. The Odessa Nezhdanova Conservatoire, which is the main source of artists for the Odessa Opera, has produced eminent musicians: D. Oystrakh, E. Gilels, T. Zakh, B. Rudenko, G. Oleinichenko, E. Chavdar, Z. Khristich. All of them have been pupils of Odessa Conservatoire Professor O. Blagovidova who worked at the Department of Solo Singing from 1933 up to her death in 1975.

In to-day's theatre company are the People's artists of the Ukrainian SSR N. Ogrenich, A. Rihter, Z. Lysak and others.

The pride of the theatre is its ballet company which more

47. Н. Огренич в опере «В бурю»

45. С. Блонский в балете А. Хачатуряна «Маскарад»

49. *Сцена из балета Р. Щедрина «Озорные частушки»*

than once has been on tours including abroad. The company has stable creative links with the Bolshoi Theatre in Moscow. For example, Maya Plisetskaya danced with the Odessa company during its tours in Spain. Before that she staged two ballet performance in the Odessa Theatre.

Tre ballet soloists N. Barysheva, S. Antipova, E. Karavayeya, M. Petoohov, P. Fomin, N. Stoyan, S. Japparov and others are much beloved by the audience.

In 1929 the Odessa Opera and Ballet Theatre was awarded the title of academic.

50. *Танцует Н. Барышева*

48. *Сцена из балета А. Хачатуряна «Маскарад»*

THE ODESSA OPERA AND BALLET HOUSE

1. The facade of the theatre viewed from the theatre square
2. Sculptural groups at the entrance
3. The main portico
4. A scene from Aristophan's comedy „The Birds“
5. This is how the first municipal theatre looked
6. A scene from Euripides „Hippolyte“
7. The ruins afrer the fire of 1873
8. The new theatre
9. Tre main staircase
10. Thc raising of the red banner on the balcony of the Opera House on the day of liberation of Odessa from fascist invaders on April 10, 1944
11. Restoration is under way. 1967
12. The main entrance
13. A corner of the central entrance — hall
14. Air Aldridge as Otello. Odessa. 1866
15. S. Krushelnitskaya and G. Puccini
16. A fragment of sculptural decor
17. Plaque of State protection
18. The main curtain made from sketches by the eminent Soviet artist A. Golovin.
19. The boxes
20. F. Shaliapin
21. L. Sobinov as Lensky in P. Tchaikovsky's opera „Eugine Onegin“
22. The boxes of the dress and the first circle
23. A sculpture above tre stage
24. The musicians of the orchestra
25. P. Tchaikovsky
26. V. Femelidi
27. The central chandelier of the auditorium
28. A. Nezhdanova, People's artist of the USSR, as Violetta in G. Verdi's opera „La Traviata“
29. A. Krivchenya, People's artist of the USSR, as Farlaf in M. Glinka's opera „Ruslan and Liudmila“
30 A scene from N. Lysenko's opera „Natalka Poltavka“
31. R. Sergienko, People's artist of the USSR, as Manon in G. Puccini's opera „Manon Lescaut“
32. L. Shirina as Liza in P. Tchaikovsky's opera „The Queen of Spades“
33. Graces
34. A scene from P. Tchaikovsky's ballet „The Sleeping Beauty“
35. A scene from A. Khachaturyan's ballet „Spartacus“
36. A. Pirogov, People's artist of the USSR, as Boris Godunov in M. Musorgsky's opera of the same name.
37. G. Polivanova, People's artist of the Ukrainian SSR, as Maria in P. Tchaikovsky's opera „Mazepa“.
38. A sculptural group at the portal of the stage
39. The ceiling of the auditorium is aecorated with four medallions belonging to the Vienna artist Lefter based on the topics of Shakespeare's plays
40. „As You Like it“
41. „Hamlet“
42. „A Winter Tale“
43. A scene from M. Musorgsky's opera „Hovanshina“
44. In the foyer of the dress circle
45. S. Blonsky in A. Khachaturyan's ballet „Masquerade“
46. A scene from T. Khrennikov's opera „In the Storm“
47. N. Ogrenich in T. Khrennikov's opera „In the Storm“
48. A scene from A. Khachuturyan's ballet „Masquerade“
49. A scene from Shchedrin's ballet „Witty Songs Full of Mischief“
50. N. Barysheva, People's artist of the Ukrainian SSR
51. Inspûratûon

---

51. Вдохновение

Старинные фонари у театра

Old lanterns at the theatre

Научно-популярное издание

ДЕРЕВЯНКО
Борис Федорович

Фотоочерк

Издание 2-е, с изменениями

(на русском, английском языках)

Перевод на английский Д. В. Малявина

Редактор английского текста К. А. Горшкова

Художник *В. Т. Миненко.*
Художественный редактор *А. М. Карпушкин*
Технический редактор *Р. Н. Кучинская*
Корректор *Н. И. Крылова*
Фото В. А. Голика, А. А. Кротенко,
М. Б. Рыбака, С. П. Стакузы, Г. М. Стегера

6.90

Деревянко Б. Ф.

Д 36 Одесский театр оперы и балета: Фотоочерк. — 2-е изд., с изм. — Одесса: Маяк, 1990. — 64 с. ил. цв. ил.

Текст на рус., англ. языках

ISBN 5-7760-0219-2

В фотоочерке рассказывается об Одесском театре оперы и балета — его уникальной архитектуре, истории развития и творческих достижениях коллектива.

Д $\frac{4907000000 - 039}{М217(04) - 90}$ 59.90

ББК 85.451
792.4

ИБ № 2525.

Сдано в набор 08.09.89. Подписано в печать 08.06.90.
БР 03377. Формат $70 \times 100^1/_{32}$. Бумага мелованная.
Гарнитура литературная. Печать офсетная. Усл. печ. л. 2,6.
Усл. кр. отт. 8,45. Уч.-изд. л. 3,74. Тираж 100 000 экз. Зак. 04444.
Цена 1 р.

Издательство «Маяк», 270001, Одесса-1, ул. Жуковского, 14.

Комбинат печати издательства «Радянська Украина», 252047,
Киев-47, проспект Победы, 50.